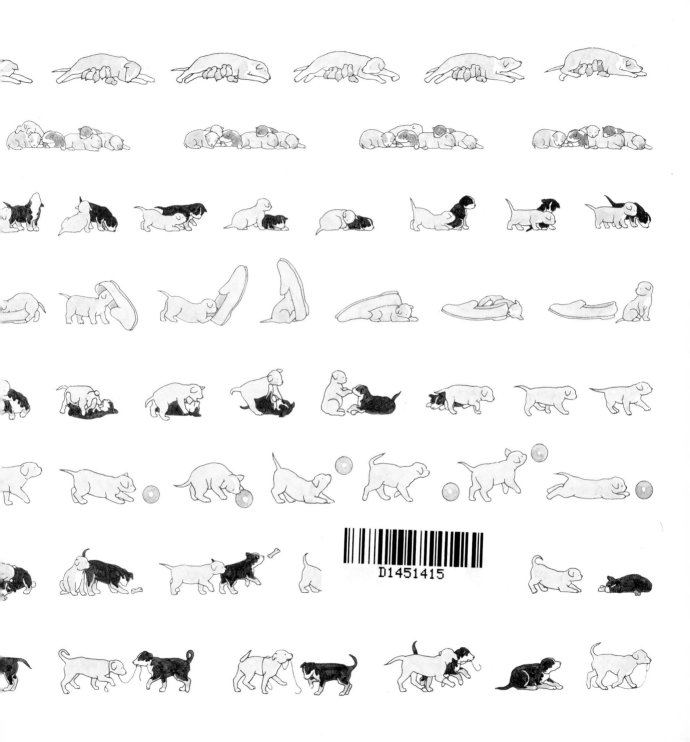

D1451415

Ecrit par Angela Royston
Directeur artistique Nigel Hazle
Illustrateur Rowan Clifford

Photographies de Jane Burton, assistée de Hazel Taylor

Première édition 1991 Grande-Bretagne
Dorling Kindersley Limited, 9 Henrietta Street, London WC2E 8PS

Titre original : See how they grow

Adaptation française d'Anne-Marie Labrunie
Mise en pages du texte d'Etienne Hénocq

Loi n° 49-956 du 16 juillet 1949
sur les publications destinées à la jeunesse
Imprimé sur les presses de L.E.G.O.
Dépôt légal n° 1304-04-91
Édition 01 - Collection 21
29-1094/1   ISBN 2-01-017125-X
Imprimé en Italie

REGARDE-LES GRANDIR

LE CHIEN

Photographies
JANE BURTON

HACHETTE
Jeunesse

Le chiot nouveau-né

J'ai un jour !
Je ne vois rien,
je n'entends pas encore
mais je peux
déjà sentir.

Je sens l'odeur
de ma Maman
et je rampe
jusqu'à elle.

C'est moi !

Elle me nourrit avec son lait.

Le dodo des chiots

J'ai neuf jours. Blotti
contre mes frères et sœurs,
je dors bien au chaud.

De temps en temps,
j'ouvre les yeux,
mais tout est flou.
Alors, je me rendors
bien vite.

La tétée

J'ai deux semaines.
Je pousse de petits grognements
parce que je rêve que je suis en train de téter ma Maman.

Je me réveille.
Mais où sont donc passés les autres ?
Oh, non !
Ils ont commencé
sans moi !

Je grimpe
sur Maman
pour aller prendre
ma place.

Le petit
explorateur

J'ai trois semaines
et j'ai déjà grandi.
Je vois, j'entends
et je marche
très bien maintenant.

Tout seul, je pars
à la découverte du monde.

Tout est nouveau pour moi, et tout m'intéresse !

Avec Papa...

J'ai un mois
et je mange
comme un grand,
dans
une
gamelle.

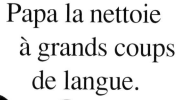

Papa la nettoie
à grands coups
de langue.

Tu viens jouer avec moi, Papa ?

Oh, chic !
Il veut bien

Les bagarres

J'ai un mois et demi
et j'ai beaucoup grandi.
J'adore m'amuser
avec mon lapin en peluche.

Ma sœur a envie
de jouer avec moi...

... mais elle me mord
un peu trop fort,
alors je la repousse.

Oh ! La voilà qui emporte mon lapin !

La promenade

J'ai deux mois,
un beau collier
tout neuf,
et même
une laisse !

Mes sœurs jouent
avec leur laisse
à qui sera la plus forte.

Mon frère tente
de m'emmener
en promenade,
mais je n'ai pas
envie de bouger.

19

Regarde comme j'ai grandi !

J'ai un jour.

Neuf jours

Deux semaine

Trois semaines

Un mois

Un mois et demi

Deux mois !